가브리엘의 오보에

gabriel's oboe

2

가브리엘의 오보에

가브리엘의 오보에
gabriel's oboe

프롤로그

'러브스토리'만큼 소설의 흔한 소재가 있을까 싶다. 속된말로 수없이 '우려먹은 이야기'인데도 나는 '러브스토리'라고 하면 아직도 가슴이 뛴다. 그것은 사랑이라는, 연애라는 개념 안에 삶의 다양한 속성이 녹아있기 때문인지도 모른다.

어릴적 잠시 방송일을 한 적이 있다. 라디오를 쓰고 몇 편의 TV 단막극을 썼다. 그때의 경험을 바탕으로 이 이야기를 쓰게 되었고 물론 픽션이어서 상당 부분 내 상상에 의지하였다.

우린 얼마나 '운명'이란 것을 의식하고 살까? 그리고 과연 인간의 '의지'는 '운명'을 이길 수 있을까,하는 생각을 종종 한다. 운명적 만남, 운명적 이별, 그리고 운명적 해후....
이런 것들에 대해 구어체로 쉽게 쓰인 장편 하나를 꼭 써보고 싶다는 생각을 해왔다.

지은이

박순영

전 방송작가/소설가

소설집 〈응언의 사랑〉외 다수
계발서 〈어리바리 나의 출판일기〉
에세이 〈어스름무렵의 童話〉
독서에세이〈연애보다 서툰 나의 독서일기〉

외 다수

대학과 대학원에서 영어와 비교문화 전공

차례

가브리엘의 오보에

8

가브리엘의 오보에

1.

"내 이력서?"
"응. 빨리 좀 갖고 와"

전남편 영민으로부터 근 1년만에 걸려온 전화에 가연은 어리둥절하다. 그것도,이력서부터 내놓으라니....

가연과 영민은 대학 cc로 만나 대학 졸업후 곧바로 결혼, 서울 외곽 작은 아파트에 신혼집을 꾸몄고, 모두가 아이낳고 잘 살거라 여겼지만 둘은 2년을 채우지 못하고 파경을 맞았다.
연애 시절엔 잘 몰랐던 사소한 습관부터 가치관, 생활 감각이 너무나 안 맞았고 연애시절과는 다른 도를 넘는 영민의 과도한 잠자리 요구에 가연은 질리고 말았다.

"우리 이혼하자"라는 가연의 말에 영민은 국을 뜨던 숟가락을 떨어뜨리고 말았다.

"다시 말해봐"라고 영민은 코를 벌름거리며 물었다.

"우리 안 맞아. 너무 안 맞아"

라며 가연이 도리질을 하자

"나 못들은 거다"라며 영민은 식탁 의자에서 일어나 서둘러 출근을 하였다.

둘은 딱히 피임을 한 것도 아닌데 6개월이 넘도록 아이가 생기지 않았다. 그러자 슬슬 영민의 본가에서는 눈치를 주기 시작했고 가연은 차라리 잘됐다는 생각이 들었다. 이미 그때부터 둘은 서서히 파경을 밟고 있었는지도 모른다.

가연이 이혼을 말하기 바로 며칠 전, 둘은 파주의 s 아울렛에 가서 간단한 여름 정장을 마련하기로 하였다. 가연은 두 번째 들어간 샵에서 위 아래 다 선택했지만 영민은 한 시간 넘게 아울렛을 헤집고 다니면서도 셔츠 하나를 결정하지 못했다.

뒤따라 다니기에 지친 가연이 투덜대자 영민은 "아무래도 백화점에 가야겠어"라며 빈손으로 아울렛을 걸어 나왔다.

매사에 까탈스럽고 이른바 '명품'만 고집하는 영민과는 대학시절 도서관에서 자리다툼을 하면서 알게 되었다. 처음 볼 때부터 이른바 '격차'라는 게 느껴져서 가연은 설마 둘이 사귀고 결혼까지 이를 것이라는 생각은 해보지 않았다.

그런데 며칠후 영민은 자판기 커피를 들고 다시 가연의 자리를 찾았고 그렇게 커피를 나눠마시면서 둘 사이의 '거리감'은 줄어드는 것 같았다.

알고 보니 영민은 가연의 같은 과 복학생이었다. 그러니 학과 선후배인 셈이었다.

"야, 짜샤, 그래도 내가 선밴데 잘좀 해"

둘이 조금 가까워지자 영민은 가연을 아이 다루듯 했고 그런 그가 가연은 싫지 않았다. 하지만 그가 a그룹 외손자라는 사실을 동창인 영미에게 전해 듣고는 관계를 정리해야겠다 생각했다. 막노동으로 근근이 생계를 꾸려가는 아버지와 단둘이 사는 자신과 재벌가 자손과는 절대 맞지 않는다는 생각이 들었기 때문이었다. 그리고 딱히 '운명의 상대'라는 생각도 들지 않았다. 그저 사람 좋은 선배 정도로 여겨져 그만 만나기로 결심을 하였다.

하지만 단순한 선후배 관계로 지내자는 말에 영민은 발끈했고 그녀를 끌다시피 근처 모텔로 데려갔고 둘은 첫밤을 보냈다.

그러고 나자 모든게 엉망으로 뒤엉켜버린 가연은 영민이 원망스러웠지만 그런 가연을 포근히 안아주며 영민은 청혼을 했다. 대학 졸업하는대로 결혼하자는…

영민의 집에 인사간 날 가연은 이런 게 '신세계'라는 생각이 들었다. 말로만 듣던 '펜트하우스'를 눈으로 보았고 그 안에 흐르는 은은한 '고급의 향기'를 온몸으로 느꼈기 때문이었다.

영민이 미리 귀띔을 해놨는지 영민의 모친은 애써 가연의 집안에 대해서 묻지는 않았지만 당장이라도 둘의 관계를 끊어내고 싶어하는 건 역력했다.

가연은 스물 세 해를 살면서 그렇게 불편한 자리는 처음이었고 드넓은 창밖의 또 다른 마천루와 맑은 하늘이 고문처럼 여겨지기만 하였다.

해서, 간신히 먹은 저녁이 아파트를 나서자마자 체기로 몰려와 영민이 근처 약국으로 달려가 소화제를 사다 줘야 할 지경이었다.

"우리 끝내자. 이런 관계, 나 불편해"라고 가연은 다시 결별을 언급했지만 영민은 이미 각오를 굳힌 눈치였다.

그리고는 며칠후, 자신의 집이 있는 오르막을 오르는데 저만치서 누군가 담벼락에 등을 기대고 있는 게 보였다. 한눈에도 그 동네 사람으로는 보이지 않는 고급진 차림새였다.

가까이 다가가니 얼마 전 보았던 영민의 모친이었다. 그녀를 알아본 가연은 온몸이 굳었고 영민의 모친은 애써 미소를 지으며 어디 가서 얘기좀 하자고 하였다. 돈봉투, 라는 생각이 가연을 스치고 갔다. tv연속극에나 나올법한 그런 풍경이라는 생각을 하면서 영민 모친의 차에 오른 그녀는 차라리 이렇게 끝내게 돼서 오히려 다행이라는 생각을 하였다.

그러나 영민의 모친은 까페에 마주 앉아 주문한 에이드 두 잔이 세팅되자 거두절미하고 '결혼해'라고 명령하듯 이야기했다. 가연은 자신의 귀를 의심했지만 상대의 얼굴은 굳을대로 굳어있었고 오랜 망설임 끝에 내린 결론이라는 생각이 들었다.

"대신 사는 건 니들이 알아서 살아"라며 그녀는 에이드를 한모금 마시고는 먼저 까페를 나갔다. 한 10여분의 그 시간이 가연으로선 영원처럼 느껴졌다.

그리고는 며칠후 단정하게 정장을 차려입은 영민이 가연의 집에 인사를 오면서 둘의 결혼은 기정사실이 되고 말았다.

그렇게 탈도 많은 , 뒷말도 무성한, 심지어는 가연이 혼전임신으로 재벌가 며느리가 되었다는 이야기까지 남기면서 둘은 결혼에 이르렀다.

그리고는 2년도 채우지 못하고 파경에 이른 것이다.

"우리 친구로 지내는 건 괜찮지?"

가브리엘의 오보에

법원을 나서며 영민이 가연에게 넌지시 운을 뗐을 때 가연은 간신히 미소만 지어 보이고 마침 들어오는 빈 택시를 잡아탔다. 그리고는 얼마 전 계약한 원룸 건물 앞에 내릴 때 그녀의 온몸에 둔중한 피로가 스며들었다. 끝났어...다 끝나고 말았어....

이어서 그녀는 내리 사흘을 홀린 듯 잠에 빠져들었다. 화장실을 가고 물을 마시는 정도 외에는 모든 일상이 그녀의 삶에서 배제된 그런 시간이었지만 한편 홀가분한 것도 사실이었다.

영민은 둘이 살던 아파트를 가연에게 주려 하였지만 가연이 기어코 거절하였다. 그렇다고 어떻게든 혼자 꿋꿋이 자립을 해보이겠다는 결연한 의지 따위도 없었다. 그냥, 영민과 관계된 일체의 끈이라는 끈은 모두 놓고 싶다는 일종의 '결벽증' 같은 것이었다.

하지만 이혼 후에도 영민은 자주 전화를 걸어왔고 그녀의 원룸 앞으로 찾아와 같이 밥을 먹곤 하였다.

"이러지 마. 이런다고 우리 다시 이어지진 않아"라고 그녀가 쐐기를 박으면 그는 묵묵히 듣기만 하였다.

가브리엘의 오보에

"재결합하자고 안 할테니 염려마 "라고 언젠가 그가 불퉁하게 대꾸한 게 그가 보인 반응의 전부였다. 그리고는 그녀가 청하지도 않은 일정 금액을 다달이 송금했다. 헤어질 때 영민이 화가 나서 내뱉은 말이 "위자료는 없어!"였다. 하지만 그게 계속 마음에 남았는지, 그는 그런 식으로 이혼 후 그녀의 생계를 책임져주었다. 일단 소득이 없는 상태에서는 영민의 그런 손 내밈까지 거절할 수가 없던 가연은 " 나중에 갚을게"라는 말을 하고 받을 수밖에 없었다. 아니면, 나이 50이 넘어서까지 막노동을 하는 부친의 도움을 받아야 했기 때문이었다.

2.

"장현습니다"라는 전화 목소리가 꽤나 낭랑하게 들렸
다. 가연은 직감으로, 영민이 빨리 달라던 이력서를 받
은 사람이란 걸 알아챘다.

"고등학교 후배 중에 라디오 pd하는 놈이 있어"라고
했던 영민의 말이 떠올랐다.

"라디오 일은 해보셨나요?"

라는 현수의 질문에 가연은 살짝 긴장이 되었다. 늘
뭔가를 끄적이며 살아왔다고 생각했지만 흔히들 이야기
하는 '등단'이니 '출간'의 절차를 밟지 않은 터라 뭐라
대답해야 할 지를 알수가 없다.

가연은 휴대폰을 쥔 채로 한참 대답을 하지 못한다.
그러자 장현수라 이름을 밝힌 상대가 조심스레 물어 온
다.

"꼭 방송 글 아니어도 뭐 다른..."

"아뇨..딱히 없습니다."

가연의 그 대답에 현수는 짧게 한숨을 내쉬더니 "혹
시 데모 원고 가능할까요? 오프닝, 클로징, 브릿지 두

어개 정도만"이라고 넌지시 말을 했다.

가영은 그날 밤을 뜬 눈으로 지새며 현수가 요구한 데모원고를 썼다 지웠다를 반복하였다. 아무래도 방송 일은 처음이라 낯설기만 하였고 차라리 못쓴다는 메일을 보낼까 하는 생각을 하였지만 그리되면 중간에서 소개해준 영민이 난처해질까 봐 그럴 수도 없었다..

이혼 뒤에도 일정액의 생활비를 대주던 영민은 어느 날 불쑥 재혼을 알려왔다. 지인의 소개로 만났다는 그의 새 여자는 의사라고 하였다. 그 말에 가연은 이제야 영민이 '자기 자릴 잡아간다는 느낌'을 받았다. 그래서 망설이지 않고 축하의 인사를 건네자, "난 너랑 다시 잘 해보고 싶었어"라며 그가 아쉬워했다.

사실, 이혼 직후 영민은 여러 번 가연에게 재결합 의지를 밝혔지만 가연이 딱 잘라 거절을 하였다. 두 번 다시 맞지 않는 옷 따위는 입고 싶지 않다는 말을 덧붙이면서...

"결혼식에 오라고 하면 좀 오번가?"라며 영민이 쑥스러워하였고 "축의금은 보낼게"라고 가연은 대답했다.

원룸 창밖이 뿌옇게 밝아올 즈음, 가연은 겨우겨우 쓴 데모원고를 현수가 가르쳐 준 이메일주소로 보냈다. 그리고 그녀는 잊기로 했고 통장 잔액을 살펴보았다. 재혼한다며 뭉칫돈을 건넸던 영민의 모습이 잔액과 오버랩되면서 그녀는 이제 더 이상은 영민의 신세를 지지 않겠노라 다짐을 하였다. 그리고는 아침이 다 돼서야 잠이 몰려왔고 그렇게 한참을 잔 거 같다...

"원고 잘 봤습니다. 한번 뵐 수 있을까요?"라는 현수의 전화를 받은 건 그날 저녁이 다 돼서였다.

마치 꿈을 꾼 것처럼 그녀는 원고 일은 까맣게 잊고 있었고 버스 정류장 인근 보습학원 자리를 알아봐야겠다고 생각하던 차였다.

한번 보자는 현수의 말은 원고가 마음에 들었다는 뜻일까? 아니면 그게 아닌데 이번에도 영민이 압력을 넣은걸까? 궁금했지만 그걸 묻기 위해 영민에게 전화를 걸 수도 없는 터라 가연은 "네,네"하며 어느새 현수와 만날 약속을 정하였다.

전화를 끊고나자 커다란 안도감과 불안감이 동시에

그녀를 덮쳐왔다. 이제 생계를 자신이 꾸려갈 수 있다는 것이 전자라면, 한 번도 안 해 본 방송일을 과연 얼마나 해낼 수 있을까,라는 것이 후자였다. 하지만 일단은 부딪쳐 보자,라는 생각에 그녀는 마음을 다잡고 다시 한번 현수와의 약속을 체크하고 시간 맞춰 알람까지 설정을 했다.

현수는 재빠르게 원고 관련 사항을 코멘트한 뒤 "됐죠?"하고는 가연의 반응을 살폈다.

"그러니까 저..."하고 그녀가 말을 더듬자 "안 들으셨네요?"라며 현수가 날카롭게 지적을 하였다. 아 이 사람 녹록지 않겠다,라는 생각에 가연은 저도 모르게 작게 한숨이 새 나왔다

"한번만 더요"하고 현수는 원고 얘기를 빠르게 반복했고 그제야 가연은 대강의 그림을 잡게 되었다

"아직 점심 전이죠?"라는 현수의 말에 가연은 먹지도 않은 점심이 얹히는 느낌이었다. "별로 생각이.."라고 하자 "내가 불편한가 보네요"라며 현수가 잠시 실망하는 눈치를 보였다.

"아뇨 배 고파요"라고 그녀가 서둘러 수습하자 그는

가브리엘의 오보에

못 이기는 척 "구내식당 괜찮죠?"라며 로비 소파에서 빠르게 일어났다 거의 반사적으로 가연도 뒤따라 일어났고 둘은 엘리베이터에 올라 지하 1층으로 향했다.

각자의 식판을 받아들고 자리를 잡아 마주 앉자 가연은 새삼 가슴이 콩닥거렸다. 무슨 맞선자리도 아닌데 왜 이럴까, 그녀는 의아했다.

현수는 물을 한 모금 마신 뒤 본격적으로 먹기 시작하였다. 이대로 먹다가는 그대로 체할 거 같아 가연이 뭉그적거리자 "왜요, 다른거 드실래요?"라며 현수가 신경을 썼다. "아뇨....먹을게요"라며 그녀가 첫술을 뜨는데 "영민 선배하곤 어떻게 되세요?"라고 물어왔다.

어쩌면 가연이 가장 두려워하고 피하고 싶었던 질문이었을지 모른다.

어떻게 전남편이라고 말을 할 수 있을까? 전남편에게 이력서를 건네줘 지금 당신 앞에 앉게 되었노라고 어떻게 말을 한단 말인가....

그녀가 대답을 못하자 현수의 얼굴이 묘하게 일그러졌다. "그럼 혹시..."

"아뇨. 내연, 그런거 아니고...실은 제 전남편이예요"

라며 가연이 힘들여 말을 하자 현수의 두 눈이 휘둥그레졌다.

"..."

현수의 침묵이 가연은 가시가 돼서 온몸을 찌르는 듯했다. 지금이라도 물르고 싶다는 생각이 굴뚝같았다. 영민과 자신의 관계를 현수가 알게 된 이상 같이 일을 할 수는 없다는 생각이 들었다.

"불편, 하시죠? 그럼 오늘 일은 없던걸로"

"무슨 말이예요? 해요 일 그냥"이라고 말하고 그는 식판에 얼굴을 파묻고 밥을 욱여 넣었다.

내가 여러 사람한테 민폐를 끼치는구나 라는 생각이 들자 가연은 더 이상 참을 수가 없어 자리에서 벌떡 일어났다. 그런 가연을 현수가 우두커니 쳐다보았다.

"죄송해요 제가 불편하네요 . 그럼 이만..."하고 가연은 자기의 식판을 들고 퇴식구로 향했다.

3.

 비록 방송일은 포기했지만 그걸 계기로 '한번 글을 써볼까'라는 생각이 가연을 스쳐갔다. 하지만 글로 당장 돈을 벌 수는 없기에 그녀는 구인지를 뒤적였다. 학원...학원강사가 제일 무난해 보여 전화를 걸어보면 상대는 대뜸 경력 여부를 물었다.

 대학을 졸업하고 곧바로 결혼해버린 게 여간 후회되는게 아니어서 그녀는 이일도 만만치 않구나 싶었다. 그리고 편의점 아르바이트가 눈에 띄어 전화를 걸려 하는데 그 순간 컬러링이 울려 그녀는 깜짝 놀랐다.

 액정에 뜨는 '장현수'라는 이름에 그녀는 누구지? 라는 생각이 잠시 들었다. 하지만 이내, 그의 조금은 유약해 보이는 도시 인텔리의 전형인 마른 얼굴이 떠오르면서 그녀는 가슴이 뛰기 시작했다. 그녀는 왠지 모를 겁에 휘둘려 전화를 받지 못했고 그렇게 벨은 한참을 울리다 끊어졌다.

 그가 왜 전화를 했을까? 그런 불편한 사이면 일을 안한다고 한 게 되레 고마운 게 아닌가? 그녀는 갑자기 입이 타는 느낌이 들어 식탁에 놓여진 먹다 만 생수를 벌컥벌컥 들이켰다...그러고 있는데 다시 전화가 울리자 그녀는 기다렸다는 듯이 빠르게 집어 들었다. 그러면서도 그런 자신의 행동이 이해되진 않았다.

"네..."

"사람이 왜 그래요? 일, 정말 안할 겁니까?"

현수는 잔뜩 화가 났는지 볼멘 소리를 했고 가연은 딱히 뭐라 할 말이 없었다.

"내일 아침까지 원고 보내세요. 저는 분명 전했습니다"

하고 현수는 전화를 끊어버렸다.

아아, 일이 이상하게 돌아간다는 생각에 가연은 혼란에 빠졌다. 그러면서 애먼 영민을 원망하기도 하였다. 살든 죽든 전처 따위는 신경을 쓰지 말아야 하거늘 괜히 자신의 삶에 개입해 엉망을 만들어버렸다는 생각이 들었다.

하지만 누구보다 영민을 잘 아는 가연은 그게 그 사람의 배려고 호의라는걸 인정해야 했다. 그런 상대에게 분풀이를 한다는 건 몹쓸짓이라는 생각이 들어 남은 생수를 마저 마시며 자신을 진정시키려 하였다.

빈 생수병을 재활용 바구니에 버리면서 그녀는 결심했다. 이왕 이리 된 거 한번 해보자,라는 생각이 들었다 . 뭐가 되든, 하루치를 쓰면 그만큼의 돈이 들어온다는 사실이 무엇보다 다행이고 메리트였다.

그리고 장현수라는 남자가 꽤 괜찮다는 생각도 들었다. 웬만하면 그렇게 복잡하게 꼬인 관계의 사람을 쓰지 않을텐데 ,...

가연은 그날 밤을 온통 원고 쓰기에 집중하였다. 현수는 별다른 요구 없이 '쉽게만 싸달라'고 하였다. 쉽게 쓴다는 게 정확히 뭔지 모르지만 가연은 최대한 현학적 문장을 피해가며 한 자 한 자 타이핑을 하였다.

그렇게 오프닝과 브릿지 두 개, 그리고 요일별 코너 원고를 쓰자 창밖에 뿌연 여명이 밝아왔다. 이제 클로징 하나만 쓰면 된다...

그녀는 문득 이 일이 해볼만 하다는, 아니, 꽤 재밌다는 생각이 들었다. 어쩌면 오래 할지도 모른다는 생각까지....

그녀는 오랜만에 연하게 모닝커피를 만들어 여유 있

게 마셨다. 저만치 영민이 선물한 커피머신이 있지만 그녀는 받아서 한 번도 사용한 적이 없다. 매사에 심플한 걸 선호하는 성격인지라 그냥 자기 손으로 타먹는 커피가 좋기도 했고 커피머신까지 전남편이 준 것을 쓴다는 게 내키지 않기도 하였기 때문이다.

커피를 반쯤 마신 뒤 그녀는 노트북 앞으로 돌아와 클로징 원고를 타이핑 하기 시작했다.

"클로징은 요즘 거의 안하는 추센데 그래도 한 두 줄 정도로 써봐요"라는 현수의 요구도 있었고, 짧은 문장 속에 프로그램을 마감하는 인사를 써 넣는 게 생각보다 쉽지 않았다. 그렇게 그녀가 한참을 끙끙대는데 폰 알람이 울렸다. 현수에게 송고할 시간을 지정해놓은 것이다. 늦었다는 생각이 들자, 안되던 원고가 써지기 시작했고 그렇게 그녀는 간단한 클로징 원고를 써서 현수의 이메일로 보내기를 하였다.

그러고 나자 밤샘에서 오는 뒤늦은 피로감이 한꺼번에 밀려들었다. 잠...잠을 자고 싶었다. 그 어떤 꿈도 꾸지 않고 죽은 듯 깊은 잠에 빠지고 싶었다...

4.

멀리서 하객 속에 숨어 훔쳐 보았지만 신부 은영의 모습은 눈이 부셨다. 수도 없이 자신의 품에 안겼던 그 여자...그녀가 모바일 청첩장을 보내왔을 때 현수는 엉엉 울고 말았다.

그렇게 오랜 시간 서로의 연인으로 지내던 그녀가 어느 날 갑자기 이별을 고했다. 그러면서 한달 뒤 결혼과 함께 유학을 떠난다고 하였다.

현수는 그녀의 이별의 말이 비현실적으로만 들렸고 그저 지나가는 가랑비가 자신의 귀에 대고 웅웅거린다는 생각만 하였다. 하지만 분명 은영은 청첩장에 기재된 그날 a호텔 예식홀에서 성대하게 식을 올리고 있었다.

워낙 가녀린 몸인데다 허리 부분이 잘록하게 파인 드레스를 입으니 정말 '개미허리'나 다름없는 은영의 모습에 현수는 당장이라도 달려가 영화처럼 그녀의 손을 잡고 식장을 뛰쳐나가고 싶었다.

은영의 집에서 여러 번 보았던 은영 부친이 딸의 손

을 신랑의 손에 넘겨주는 것까지 보고 현수는 돌아섰다. 더 봐야 할 이유도, 그럴 힘도 없었기 때문이다.

은영의 집안에서 현수를 반대한 건 그가 '문란한' 방송계에 몸을 담고 있다는 것이었다. 어찌 보면 말도 안 되는 이유에 은영도 부모에게 강하게 저항했지만 결국 집안끼리 정해버린 혼사에 두 손을 들고 말았다. 남자의 집안은 국내 굴지의 가구 기업이었고 남자가 은영과 함께 미국 유학에 올라 MBA를 마치는대로 승계작업에 들어갈 것이라고 하였다.

워낙 명문가끼리의 결합이라 언론도 요란하게 둘의 결혼을 보도했고 그만큼 현수는 아무리 눈을 감고 귀를 막아도 자신에게서 은영이 완전히 떠났다는 걸 부인할 수가 없었다.

호텔에서 나온 현수는 주차돼있는 자신의 차로 향하면서 올여름이 무척이나 길 거라는 느낌을 받았다. 그만큼 지루한 시간이 오래 지속되리라는 예감에 그는 맥없이 차 시동을 걸고 천천히 페달을 밟았다.

하지만 막상 차를 출발시키고 사거리가 나오자 자신의 오피스텔로 가기가 싫어졌다. 아직도 은영의 잔해가

가브리엘의 오보에

남아있는 자신의 방으로는 돌아가기가 싫어 강남 일대를 뱅뱅 돌다 결국에는 방송국으로 차를 몰았다.

현수는 일을 할 때가 제일 마음이 편했다. 쓰라린 은영과의 결별도 일에 몰두하면 잠시는 잊을 수 있었다. 오늘처럼 그녀를 공식적으로 완전히 보낸 날일수록 현수에게는 일이 가장 강력한 위로가 되어줄 것 같았다.

그가 라디오제작국에 들어섰을 때 저만치 입사 동기 혜란이 마침 자리에서 일어나다 눈이 마주치자 살짝 손을 들어보이는 게 눈에 들어왔다.

"주말인데 뭐해 혼자서?"

현수가 자신의 자리로 가면서 그녀에게 툭 내뱉은 말에 그녀는 생긋 웃기만 하고 제작국을 빠르게 걸어나갔다.

"녹음 있어?"라는 그의 대답을 묵살한채...

현수는 캘린더를 들여다보았다. 마침 다음 주에 연휴가 있어 몰아서 녹음을 해야 한다는 생각을 하다가 퍼뜩 하우저 버전의 첼로 연주 "가브리엘의 오보에"를 선곡해야겠다는 생각이 들었다. 좀 오버하는 듯한 하우저

가브리엘의 오보에

의 드라마틱한 연주 모습이 유별나게 기억되는 곡이었다. 그리고 은영이 좋아했던 곡이기도 하였다. 한참을 은영의 드레스 입은 모습을 복기하다 그는 생각을 떨치려고 고개를 저었고 이어서 가연에게 전화를 걸었다.

5.

깊은 잠에 빠진 가연의 귀에 전화벨은 몽롱한 환청처럼 들렸다. 그렇게 벨은 한참을 울렸고 거의 마지막 벨소리에 그녀는 더듬더듬 통화버튼을 눌렀다. 거의 종일 잠을 잔 거 같다. 원고의 압박감에서 벗어난 탓이려니 했다....

발신자도 확인하지 않고 "여보세요"라고 말하는 그녀에게 상대방은 대뜸 "잤나 봐요?"라고 말해왔다. 누구...하다가 그제서야 그녀는 정갈한 톤의 목소리의 주인공을 알아챘다. 장현수, 그였다.

"자는데 방해한 거죠? 그럼 더 자요"하고 저쪽은 전화를 끊을 태세다.

"아녜요..."

그러자 현수가 훗, 하고 웃는 소리가 들렸다.

얼마나 늘어지게 잤는지 가연의 양 입가엔 마른침까지 번져 있었다. 물티슈로 침을 닦아내며 그녀가 다시 한번 "아녜요 그런 거"라고 말을 했다.

"원고 때문에 전화했어요"

"원고 보냈는데"

"아, 그건 봤고요. 다음 주가 연휴잖아요."

"…"

"연휴에 특집 갑시다"

그 말에 가연은 아, 하는 작은 탄식이 흘러나왔다. 새내기 작가에게 '특집'이라는 말 자체가 커다란 공포로 몰려왔다.

"뭘, 어떻게 해야…"

"겁먹지 말아요. 코너만 조금 다르게 가는 거니까…"

"아…"

그제야 가연은 안도하였다.

"좀 나올래요? 별일 없으면?"

"지금요?"

"네…"

통화를 끝내고 가연은 퍼뜩 샤워부터 해야겠다는 생각이 들었다. 왜인지는 몰라도 그래야 할 것만 같았다.

그녀는 샤워를 정성 들여 한 뒤 양치를 한참 하였다. 그러다 거울에 비친 자신의 모습을 보고는 양치를 멈추고는 '내가 지금 무슨 짓을 하는 거지?'라는 생각에 빠졌다. 연인을 만나러 가는 것도 아니고 일 때문에 나가면서 왜 이럴까 싶었다. 이상하게 가슴이 콩닥거렸다.

혹시 급한 일일지 모른다고 생각하고 가연은 택시를 잡아탔다.

"방송국 가주세요"했더니 기사가 힐끔 그녀를 쳐다본다. "거기서 무슨 일 해요?"라는 질문이 돌아왔지만 그녀는 딱히 대답을 하지 못하고 창밖으로 시선을 돌린다.

아직 '방송작가'라는 대답을 할 수 없다는 생각에 가연은 잠시 막막했다. 들은 바로는 방송계에서 작가를 포함한 외부인은 언제라도 부당해고를 당할 수 있다고 해서 자기 역시 언제 또 백수로 돌아갈지 모른다는 막연한 불안감이 있었고 그 외에도 아직 일 자체도 제대로 파악 못한 상황에서 떡하니 '방송 글 쓴다'는 대답이 나오기는 힘들었기 때문이다.

그렇게 차는 방송국 앞에 주차했고 가연은 서둘러 회전문을 통해 1층 로비로 뛰어 들어갔다. 시간약속을 한건 아니지만 최대한 빨리 가야겠다는 생각에 엘리베이터 여러개를 눌러놓고 그녀는 애타게 기다렸다.

그중 제일 먼저 문을 연 엘리베이터 안으로 그녀는 뛰어들었고 기계는 빠르게 올라갔다. 위의 숫자판을 쳐다보고 있자니 가연의 가슴은 터질 것만 같았다.

현수와 뭘 한것도 아니고 더더욱 연인 사이도 아닌데 왜 이렇게 그를 만나러 가는 것이 떨리는 걸까, 그녀는 스스로도 의아했다.

부스 문을 열고 들어서자 현수가 녹음본 편집을 하고 있는 게 눈에 들어왔다.

"왔어요?"라며 현수가 들어서는 가연을 일별하고 다시 모니터로 시선을 돌렸다. 그제야 가연은 현수의 옆모습을 제대로 볼 수 있었다. 단아하면서도 언제든 냉정해질 수 있는 그런 타입의 남자라는 느낌을 받았다. 그리고 처음에도 느꼈지만 어디선가 본 듯한....그럴리야 없지만 , 분명 기시감을 주는 그런 얼굴이었다.

"커피라도?"

가연이 조심스레 운을 떼자

"아뇨 제가 사올게요"하고 현수가 마우스를 놓고 재빨리 일어나 부스를 나갔다.

괜히 커피 이야기를 꺼냈구나, 후회하는데 어느샌가 현수가 두손에 자판기 커피를 쥔 채 부스 안으로 들어섰다.

"뭘 좋아하는지 몰라서 그냥 블랙으로"라며 한잔을 건넸다.

"저, 이거 좋아해요. 고맙습니다"라는 가연의 말에 현수가 살짝 웃는다.

처음으로 그의 미소가 해맑고 천진하다는 인상을 받았다.

"특집이면..."

"왜 그렇게 긴장해요. 코너만 좀 다르게 가는 거라니까"라며 그가 조금은 개구지게 웃었다.

그러면서 미리 써온 큐시트를 내보이며 보라고 하였다. 가연은 처음 본 큐시트를 어떻게 해독해야 하는지조차 몰랐지만 처음 현수와 대면했을 때만큼 떨리거나 불안하진 않았다.

"대강 감이 잡히죠?"

"조금은요..."

"조금갖고는 안되지..."

"식사 했어요?"

"네?"

주말이라 구내식당이 휴업이라며 현수는 '자주 가는 일식집'으로 차를 틀었다. 보조석의 가연은 모든 게 얼떨떨했다.. 그리고는 영민의 존재가 불쑥 떠올랐다. 지금 장현수라는 이 남자는 내가 영민의 전처였다는 걸 기억이나 하는 걸까,하는 의구심이 들 때 쯤 현수는 보기에도 단아하고 전문적인 느낌을 주는 어느 일식집 앞에 차를 댔다.

"오늘 전 여친이 결혼을 했어요"

음식이 세팅되고 직원이 가자 불쑥 현수가 내뱉은 이 말에 가연이 당황하자 그가 "내가 괜한 말을"하며 현수가 미안해했다. 그러고는 먼저 음식을 먹기 시작했다.

'전 여친의 결혼'운운하는 걸 보면 저 남자도 아픈 사연이 있구나 싶어 그런 현수의 얼굴을 찬찬히 쳐다보다 둘은 눈이 마주쳤고 가연은 황급히 자기 앞의 음식으로 눈을 돌렸지만 이미 늦었다.

"영민 선배와는 왜...실례 되면 대답 안 하셔도 되고요"

어쩌면 가연이 내내 상상해온 그 질문을 현수가 한

셈이고 이렇게 되면 같이 일하기가 힘들어진다는 생각에 가연 역시 만약의 상황을 대비해 준비해온 대답을 하였다.

"불편하시죠 저랑 일하시는 거?"

그 말에 현수가 조금은 허탈하게 웃었다.

"누가 들으면 한 10년 같이 일한 줄 알겠네"

그 말에 가연은 괜히 무안해져서 접시에 코를 박고 먹기만 하였다.

"내가 괜한 질문을 했군요. 대답하지 않아도 됩니다. 어디까지나 사생활이니까"

"전 여친 분 하고는 왜...참, 그것도 사생활인데"

그러다 둘은 다시 눈이 마주쳤고 현수가 미간을 좁히며 그녀를 유심히 보는 시늉을 했다.

"우리 어디서 봤나요?"

그 말에 가연은 갑자기 수저를 쥔 손이 바르르 떨려왔다. 저 남자도 나와 같았어..우리 둘 다 같은 생각을 했던 거야....

"호구 조사 좀 할까요?"

"..."

"고향이?"

"서울이예요. pd님은?"

" 전 강원도 촌놈....그럼 우리 어릴 때 신랑 각시하고 논 것도 아니고 어디서 봤드라?"하고 현수가 다시 개구지게 웃었다. 분명 기시감이 있는 얼굴이어서 가연은 왠지 불안했지만 어찌 보면 둘다 평범하다면 평범한 얼굴이어서 그럴 수도 있다는 생각을 하였다.

디저트가 나오자 현수는 본격적으로 특집방송 이야기를 꺼냈고 가연은 메모를 해가며 그의 이야기를 경청했다. 특집 게스트 섭외를 직접 하라는 말에 가연이 당황해하자 "내가 미리 얘기해놓으니까 전화해서 사전 인터뷰랑 질문 알려주면 돼요"라며 찬찬히 설명을 해주었다. 그제야 가연은 휴, 하고 안도의 한숨을 내쉬었다.

"원래 그렇게 겁이 많아요?"

"조금요..."

"아닌데. 겁장인데?"라며 그가 싱긋 웃었다.

아마도....아마도 이 남자를 사랑하게 될 거라는 예감에 빠져들며 가연은 커피를 한모금 마셨다.

6.

영민은 제법 배가 나와 있었다.

"임신했어?"라고 가연이 농을 하자

"배가 자꾸 나오네"라며 그가 쑥스러워하였다.

영민은 같이 살 때나 헤어진 지금이나 살가운 남자였다. 물론 가끔 까탈을 부리긴 해도 이제 다 지난 얘기다....

"안 그래도 집사람 임신했어"라며 그가 자랑하듯 늘어놓았다.

영민은 가연과 살 때도 애를 무척이나 기다렸고 재혼을 하고도 애가 안 생긴다며 꽤나 노심초사했다. 가연은 흔쾌히 축하의 말을 전했다.

"아들이래"라며 은근 그가 아들을 바랐다는 눈치를 내보이자 "요즘 세상에 촌스럽게 "라며 가연이 살짝 눈을 흘겼다.

"방송 일은 재밌구?"

라는 그의 질문에 가연은 저도 모르게 고개를 끄덕였

다.

"아직은 뭐...다 어리바리한데, 그래도 재밌는 거 같아. 연예인들 보면 아직도 신기하고 그래"

"현수가 잘해줘?"

"가끔 트집도 잡지, 원고 타박도 하고. 누구처럼 까탈스러워서"

"말하는 거 하군"하면서 이번엔 영민이 눈을 흘겼다.

이렇게 평생지기로 가면 좋겠다는 생각이 가연을 스쳐 갔다. 그런데 남녀 사이에 그게 가능할까,하는 부분까지는 장담할 수 없었다. 아직 헤어진 지 그리 오랜 시간이 흐른 것도 아니고 서로가 애틋한 정이 남아 이러려니 하는 정도였다. 그렇다 해도 지금 탄탄한 우정을 과시하고 있는 건 사실이었다.

"언제 한번 방송국에 눌러와"라고 가연이 말하자 "어쭈? 이제 방송장이 다 됐네?"라며 그가 허허 웃었다.

도시 샌님 같아도 이럴 때 보면 넉넉한 품새의 남자였다. 최영민이란 남자는.

"내가 얘기했어. 잘 해주라고"하며 그가 으쓱해 한다.

이럴 땐 또 아이 같다. 이런 면이 좋았다. 대학 시절 영민의 나이브한 면이...그래서 연애하고 결혼까지 갔는데....

"우리 밥 먹고 어디 드라이브라도 갈까?"라는 말에 가연은 단호히 "싫어"라고 대답하자 그가 살짝 당황해했다.

"왜?"

"유부남 차 안 타네요"

"치....유부남이 뭔 죈가?"라며 그가 투덜댔다.

하지만 그날 둘은 까페를 나와 근교 드라이브를 했다.

"당신도 운전 좀 해야지"라는 그의 말에 가연은 '당신'이라는 말을 꽤 오랜만에 듣는다는 생각이 들었다.

"하긴 해야 하는데..."

"처음엔 중고차로 1,2년 연습 좀 하고 그다음에 새 차 사"라고 그가 조언을 했다.

"연수시켜줄래?"라는 말에 그가 화들짝 놀라며 "아니"라고 그가 손사래를 쳤다.

"부부끼리 연수시켜주다 헤어진다는 말도 안 들어봤어?"

"우리가 부분가?"

그 말에 현수가 잠시 뜸을 들이더니 "우리 꼭 헤어질 필요가 있었을까?"라고 자못 심각하게 물었다.

그러자 가연은 왠지 그의 차에 타고 있다는 게 불편하고 어색해졌다.

"나, 실은 원고 쓸 거 많거든. 연휴도 걸리고 해서"

"그래? 그럼 조금만 더 가다 차 돌리자"하고 그가 속도를 높였다.

가연의 원룸 앞에 차를 댄 영민은 가지 않고 주저주저했다.

"얼른 가봐. 임신한 와이프 케어도 해줘야지"

"커피 한잔 달라면 실롄가?"

"노!"

"알았어"라며 영민이 머쓱해 하며 다시 차를 몰아 골목을 빠져나갔다.

서로 '선'만 잘 지키면 정말 '평생지기'로 갈 수 있다는 생각이 들자 가연의 마음에 따스한 바람이 불어왔다.

7.

어쩌다 중견여가수 s가 MC 자리를 꿰찼는지는 몰라도 가연은 그녀의 까탈스럽고 고약한 성정에 시달리느니 차라리 그만두는 게 낫겠다는 생각을 하게 되었다. 그런 심정은 현수도 마찬가지인 것 같고 듣기로는 라디오 제작국장과 s가 대학 선후배 사이라고 하였다.

첫 만남 때 이미 s는 가연의 원고를 타박했고 원고 방향, 자신의 말투, 이런 걸 고려해서 쓰라고 '명령'을 하였다. 그런 s를 옆에서 보는 현수마저 심기가 불편해 보였다.

이렇게 다음 개편 때까지는 가야 한다는 게 가연에게는 다름아닌 고문이었다. s는 꺼떡하면 가연의 원고를 무시하고 애드립을 했고 그러다 말이 꼬이는 경우도 많았다. 어느날, s가 오프닝부터 버벅대고 횡설수설하자 참다못한 현수가 스튜디오로 들어가 주의를 주기도 하였다.

그래도 가연보다 현수의 말은 좀 귀담아 듣는 편이라 그날은 대체로 가연의 원고대로 가긴 하였다. 하지만 s

는 바로 다음날부터 다시 원고를 싸그리 무시하고 제멋대로 떠들었고 급기야 화가 난 현수가 녹음을 중단하고 부스를 뛰쳐나가는 일이 벌어졌다.

황망해진 가연이 현수를 뒤따라 부스 밖으로 나왔을 때 이미 그를 태운 엘리베이터는 빠르게 하강을 하고 있었다. 한참 우두커니 빈 복도에 서 있던 가연이 다시 부스로 들어서자 유리 너머 스튜디오 안에서 s가 누군까와 통화를 하는 게 눈에 들어왔다. s의 제스처는 크고 요란했고 이 사태에 대한 일말의 책임 따위는 느끼지 못하는 눈치였다. 당장이라도 스튜디오 문을 열고 들어가 s의 뺨이라도 한 대 갈기고 싶은걸 가연은 겨우겨우 참았다...그러길 한 30분. 부스 문이 열리며 전에 없이 담배 냄새를 풍기며 현수가 들어섰다.

"선생님, 원고대로 가주시겠어요?"

그는 마이크에 대고 최대한 정중하게 s에게 요구했다. 그러자 s도 뜨끔했는지 나머지 녹음은 원고대로 갔다.

그리고 그 다음 주 가연의 자리는 다른 작가로 교체되었다. s가 이전에 같이 일했다는 작가라는 현수의 설명에 가연은 아무 말 없이 고개를 끄덕였다. 분명 친분을 미끼로 윗선에 작가교체를 요구 했을테고 평pd인 현수의 재량 밖의 일이었으리라.

"밥 먹읍시다"

가연의 마지막 방송 날 현수는 클로징 음악이 나가는 동안 그렇게 말했지만 가연은 어서 방송국이란 데서 벗어나고 싶은 마음뿐이었다.

"지나게 되면 전화 한번 드릴게요"라고 그녀가 말하자 현수가 살짝 실망하는 눈치를 보였다.

"그동안 감사했습니다. 불편한 사람을 내색도 안 하시고"라고 하자 현수는 애써 웃어 보이며 "내가 아직 힘이 없어요..."라며 양해를 구했다.

그렇게 가연이 방송국을 빠져나왔을 땐 비가 뿌리고 있었다. 석양이 눈부신데 비가 오는 희한한 저녁이었다. 이별하기에 안 좋은 날이었고 이런 날 헤어진 사람은 오래 기억날 것만 같다는 생각이 가연을 스치고 갔다....

"이거라도"라는 소리에 가연이 뒤를 돌아보자 어느새

뒤따라 나왔는지 현수가 우산을 내밀고 있었다.

"괜찮아요. 택시 타면,"하는데 그 순간 난데없이 자신의 뺨을 타고 눈물이 흘러내렸고 당황한 가연은 어서 이 자리를 벗어나야 한다는 생각에 빗속을 마구마구 달리기 시작했다. 지금 자신이 얼마나 초라하게 보일까를 생각하자 그녀는 얼굴이 화끈거렸고 어서 현수의 시야에서 사라져야 한다는 생각밖에 없었다.

그리고는 지하로 내려가는 걸 싫어해서 웬만해서는 타지 않는 지하철 역사를 달려 내려가 방향도 가늠하지 않고 먼저 와서 멈춘 열차에 가연은 올라탔다.

세상은 s같은 인간들로 가득찼다는 생각에 그녀는 절망했고 그러다 깜빡 잠이 든 거 같았다. 그녀가 눈을 떴을 땐 낯선 정류장을 지나치고 있었다.

가브리엘의 오보에

8.

가연이 일을 그만 둔 경위를 알게 된 영민은 불같이 화를 내면서 현수를 원망했고 가연은 애써 현수를 두둔 했다. 그 사람이 무슨 힘이 있겠어. 윗선에서 시키는대로 해야지....

"조금만 쉬고 있어. 내가 또 "

"아냐. 이제 내가 알아서 살게. 당신은 신경 꺼"

그 말에 영민은 몹시 실망하는 눈치를 보였다.

"어쩌면 잘된 일이야. 당신이랑 내 사이 알면서 그 사람, 나랑 일하는 게 쉽지 않았을 거야"

가연은 그렇게 자신과 영민이 불편한 관계임을 나타 냈고 예리하게 그 속내를 짚은 영민은 발끈했다.

"헤어진다고 다 원수처럼 살아야 하나?"

"이젠, 내가 알아서 살아. 나 따위 신경 쓰지 말고 살아"라며 가연이 돌아서는데 한 팔이 영민에게 붙들렸 다. 사태가 심상치 않음을 느끼고 가연이 영민의 얼굴 을 쏘아보았다.

"내가 당신 신경쓰는 게 불편한가?"

영민이 제법 정색을 하고 물었다.

안 그래도 이젠 말을 해야 할 거 같다는 생각에 가연은 일단 숨을 고른 뒤 최대한 침착하게 말을 하였다.

"이젠 연락하지 않았으면 좋겠어. 와이프한테도 미안하고"

"우리가 만나서 무슨 나쁜 짓 했니?"

"이 자체가 와이프한테 죄라는 생각 안 들어?"

그 말에 영민의 한쪽 뺨에 작은 경련이 일었다. 그러더니 영민은 가연의 팔을 잡은 손을 놓아버리고 자기 차에 올라 거칠게 골목을 빠져나갔다.

좋은 사람...하지만, 연이 안 되는 사람, 이라는 생각을 하며 가연이 자신의 원룸으로 들어왔을 때 며칠 계속 진동으로 해놓은 자신의 휴대폰이 식탁 위에서 요란하게 요동치고 있었다..

차라리 무음으로 해놓을 걸...하며 가연이 액정을 보자 현수의 전화였다. 무슨 일일까? 이 전화를 받아야하나 말아야 하나를 놓고 그녀가 고심하는 사이 벨은 끊어졌고 두 번 다시 울리지 않았다.

그리고 그날 밤 그녀는 내내 현수의 전화가 다시 걸려오기만을 기다렸지만 끝내 벨은 울리지 않았다.

그 다음 날 ,으스스한 한기를 온몸에 느끼며 가연이 잠에서 깨서 제일 먼저 한 일은 습관처럼 자신의 노트북을 가동시킨 것이다. 그리고는 "오프닝"이라고 타이핑을 하다, 내가 왜 이러지...하고는 다시 전원을 껐다. 해고된 지 벌써 보름 가까이 지났는데도 아직도 받아들이지 못하고 있는 자신이 한심하고 어리석게만 여겨졌다.

그녀는 몸살기도 잠재울 겸 오랜만에 조깅을 하기로 하고 베이지색 바람막이 점퍼를 걸쳐 입고 문밖을 나섰다. 마치 해무와도 같은 안개를 헤치며 가연은 조금씩 속도를 내서 달리기 시작했다. 그러자 어느 순간 숨이 턱 끝에 차올라 그녀는 멈추었고 문득, 지금쯤 자신의 빈방에서 폰이 요란하게 울리고 있을지 모른다는 생각이 들자 마음이 급해졌다. 그래서 그녀는 오던 길을 되돌아 지름길을 택해 자신의 원룸으로 돌아왔다.

하지만, 부재 전화 한통 찍히지 않은 자신의 폰은 나갈 때 놓아둔 그 자리에 그대로 얌전히, 조용히 놓여있었다. 그러자 온몸에서 힘이 한순간에 빠져나가면서 그녀는 다시 으스스한 한기를 느꼈고 협탁 서랍을 열어

가브리엘의 오보에

지난번 먹다 만 감기약을 꺼내 입안에 털어 넣었다. 이렇게 다시는 깨어나지 않는 잠에 빠지고 싶다는 생각을 하며 그녀는 다시 이불속으로 파고들었다. 다시는 깨지 않는 영원의 잠에 빠지고 싶다는 생각을 하였다.

그렇게 한참 시간이 흘렀을 때 그녀는 아련히 들려오는 전화벨 소리를 들었다. 환청일 거야....그녀는 고개를 모로 돌리며 다시 잠을 청했다. 그러자 이번엔 벨소리가 한층 더 크게 확실하게 들려왔다. 그녀는 엎드린 자세로 한 팔을 뻗어 자신의 폰을 잡았고 그것을 귀에 갖다댔다.

"여보세요..."

"..."

"누구..."하다 그녀는 그제서야 발신자를 보았고 내내 그녀가 기다려온 현수의 전화임을 확인하였다.

"아, pd님"

"잘 지냈어요?"

"네, 잘 지내고 있어요...별일 없으시죠?"

"...한번 보죠."

9.

"잘 지냈어요?"

현수의 이 말에 가연은 자신이 떨고 있음을 확인한다.

"pd님도 잘 지내셨죠?"

그녀는 간신히 대답한다.

"혹시 지방송출 방송도 괜찮아요? 내 동기 중에 "

"아뇨....고맙지만 사양할게요"

"아...뭐, 다른 일이라도?"

"네, 애들 과외하고 있어요. 중학생들"

가연은 자신이 이리도 천연덕스레 거짓말을 한다는 게 믿기지가 않았지만 현수가 내민 도움의 손길이 조금은 부담스러워 어쩔 수가 없었다.

현수는 가연의 거절에 당황해했지만 더 이상의 강요는 하지 않았다.

"저도...옮겨요 프로"라며 그가 반쯤 남은 커피잔을 입으로 가져가며 덧붙였다.

"네?"

"그렇게 됐어요"

아마 s가 pd마저 교체요청을 한 것 같다. 가연은 새삼 방송판이라는, 아니 더 나아가 세상 전치가 '권력'에 기생하는 인간들에 의해 유지되고 돌아간다는 생각이 들었다. 자기나 현수처럼 약자들은 강자들에 의해 사정없이 휘둘리는.

"저, 영민 선배는 가끔 보나요?"

현수의 입에서 뜬금없이 영민의 이름이 튀어나오자 가연은 당황했다. 바로 얼마 전에도 통화를 했지만 그녀는 시치미를 떼기로 하였다.

"아뇨. 그 사람도 자기 삶이 있는데"

"아, 그렇군요"

하는 현수의 얼굴에 묘한 안도의 표정이 드리운다.

둘의 커피가 이미 다 식어버린 초저녁, 둘은 까페를 나왔다. 이대로 헤어진다는 게 둘 다에게 아쉬웠지만 그렇다고 내놓고 사귀는 사이도 아닌데 뭐라 할 수도 없었다. 해서 가연이 먼저 "가볼게요"라며 꾸벅 인사를 하자 현수는 아쉬움을 감추지 않고 묵묵히 그녀를 쳐다보았다.

"나, 가연 작가 글 정말 좋아했는데"라며 현수가 덧

붙였다.

그리고는 또다시 이어진 침묵....

그 순간 애꿎게 저만치 빈 택시 한 대가 스르륵 미끄러져 왔다 마치 기다렸다는 듯. 가연은 반은 등 떠밀리다시피 그 차에 올랐고 밖에서 현수가 차 문을 닫아주었다. 그리고 차는 매끄럽게 대학로를 빠져나갔다.

우린 언제 다시 볼까...

가연의 원룸 앞에 택시가 와서 멈출 즈음 그녀의 전화벨이 울렸다.

"다시 한번 생각해 봐요 지방 송출되는 그거...페이가 꽤 센데"

라는 현수의 말에 가연은 아무 말도 할 수가 없었다. 사실 가연의 수중엔 한 두달 버티면 끝일 정도의 돈밖에 없었고 체면이고 뭐고 가릴 처지가 아니었다. 이런 상황에 현수가 손을 내밀어준 것이다.

"네, 생각해보고 전화 드릴게요"

"그래요 . 꼭 생각해봐요"

그렇게 통화는 끝이 났고 폰 액정은 어두워졌다.

그날 밤 가연은 잠을 잘 수가 없었다. 처음 현수의 제안을 거절했을 때 그가 당황해하던 얼굴이 그녀의 기억을 휘저어놓았다. 그도 같은 마음일까, 그게 궁금했다.

경제력 없는 젊은 이혼녀라는 이 딱지가 원망스럽기만 하였다.

밤새 뒤척이던 가연은 아침이 밝아올 즈음 결심을 굳히고, 원고를 보내던 현수의 이메일로 답을 주기로 하였다.

"고맙습니다. 연결해주시면 폐가 안되게 열심히 해볼게요"

그러자 메일은 곧바로 열렸다. 하지만 답은 없었다. 가연은 괜한 짓을 했다는 생각에 메일 창을 닫고 방안을 서성였다. 하지 말걸. 괜히 그랬어...하는데 띠링, 하고 메일 알림이 들려왔다. 현수가 답문을 보내왔다.

"날 밝으면 동기랑 통화하고 알려드릴게요"

그제야 가연은 안도의 한숨이 나왔고 순간 갑작스런 허기가 느껴져 냉장고를 열었다. 먹을 거라곤 사다놓은 편의점 도시락과 삼각 김밥, 그리고 생수 몇병이 다였다.

혼자 산다고 대충 먹고 그러지 말라는 친구들의 조언이 떠올랐다.

그래, 이제부턴 제대로 살자. 일도, 사랑도. 그녀는 편의점 도시락을 전자레인지에 덥히며 스스로에게 다짐하였다. 그가...그가 나와 같은 마음이라면...이라는 생각은 이후로도 한참이나 그녀의 마음을 지배하였다.

10.

"저 장현습니다"

가연이 방송국을 옮긴 뒤 딱 보름이 지났을 때 현수로부터 전화가 걸려왔다.

방송국은 서울 도심에 자리하고 있었지만 송출은 남도 일대에 되는 시스템이었고 라디오국 분위기도 작고 가족 같았다.

현수의 동기라는 pd 재원은 결혼한 지 얼마 안 되는 새신랑이었고 가연의 사적인 것은 일체 묻지 않았다. 현수의 언질이 있었으리라는 생각을 하자 가연은 불편한 심기가 되었지만 그깟 일로 이제 더는 생계를 놓지는 않겠노라 다짐을 하였다.

"저, 방송국 앞인데..."

라는 현수의 말에 가연은 가슴이 뛰기 시작했다

"마침 지나가는 길이라 가연 작가 생각도 나고"

라는 말은 원고를 수정하던 가연의 손을 달달 떨리게 했다.

"저, 잠깐만 나갔다 올게요"라며 방송준비를 하는 재

원에게 말하자 재원이 안경을 치켜 올리며 의아해했다.

이제 30분 있으면 방송 시작이다.

가연은 조급한 마음에 엘리베이터에 올랐고 그날따라 기계는 느리게 내려갔다.

그리고는 1층 로비에 닿았을 때 저만치서 벽에 걸린 마티스의 그림을 들여다보고 있는 현수가 눈에 띄었다. 그도 나와 같은 마음일까? 그녀는 다시 한번 그게 궁금했다....

"가연씨..."

가연을 알아본 현수가 자신에게 다가왔다.

마치 오랜 연인들처럼 그렇게 그들은 서로에게 향했다.

"저, 조금 있으면 방송 시작이라.."

"알아요. 이렇게 얼굴 봤으면 됐어요"

"..."

"재원이 , 아, 안pd가 그러더라고요. 한 보름은 적응하느라 정신 없을 거라고"

이 프로그램의 원고량은 거의 살인적이었다. 대부분이 생방으로 진행되고 두 시간 짜리를 혼자 써내야 해서 가연은 처음엔 이러다 과로사한다는 생각까지 하였지만 얼추 2주 정도 지나고 나니 어느 정도 감도 잡히고 글에 속도도 붙어 할 만하다는 생각이 들었다.

그 2주를 현수는 침착하게 기다려준 것이었다.

"난 시사 프로로 옮겼어요. 딱딱하고 재미없는"

순간 가연의 기억에 오만하기 이를데 없는 s의 얼굴이 스쳐 갔다.

"그 여자가..."

"다 그렇죠 뭐. 난 상관없어요. 월급은 마찬가지니까"라며 현수는 애써 웃어 보였고 가연은 마음이 아려왔다.

그렇게 둘이 자판기 커피를 나눠 마시다 보니 벽시계가 방송시간 5분전을 가리키는 게 눈에 들어왔다.

"저 이만..."

"아, 그래요"하며 현수가 조금 남은 커피를 훌쩍 넘기고 종이컵을 구겨서 휴지통에 넣었다.

"그럼 ..."하고 가연이 목례를 하고 자리를 뜨려 하는데 "가끔 가도 돼요 집 앞으로?"라는 현수의 다급한 말이 들려왔다

가연은 자신의 귀를 의심했다. 자신의 원룸으로 찾아
오겠다는 것인가?

　가연은 뭐라 대답을 못한 채 마악 열리고 있는 엘리
베이터에 뛰어들었다. 그런 자신을 현수는 로비에서 우
두커니 지켜보고 있었다.

　그날 방송 2시간이 어떻게 진행됐는지조차 가연은 기
억이 나질 않았고 클로징 음악이 나올 즈음, 늘 그렇듯
이 pd 재원이 "수고하셨어요"라는 인사를 건네올 때야
비로소 방송이 끝났다는 걸 알아차렸다. 2시간 내내,
자신의 집 앞으로 찾아와도 되겠냐던 현수의 말만 머릿
속을 맴돌아 하마터면 시청자 전화 연결을 할 때 실수
를 하기까지 하였다. 전화 연결이야말로 조심해야 할
부분인데 그걸 깜박한 것이다.

　이렇게 가까스로 방송사고를 면한 가연은 가슴을 쓸
어내리면서 퇴근을 했고 막차를 타고 자신의 원룸으로
향했다. 이래서 차가 필요하다는 생각을 하고 있는데
버스는 야경이 눈부신 한강대교를 건너기 시작했다. 저
불빛을 그와 , 현수와 함께 보고 싶다는 생각이 들자
왠지 모를 슬픔이 그녀를 덮쳐왔다.

그리고는 자신의 원룸 앞에 다다랐을 때 그녀는 자신에게 다가오는 현수와 마주했다.

"와도 된다는 뜻 같아서"라는 그의 말에 가연은 사시나무 떨듯 떨었고 그런 가연의 손을 현수가 조심스레 잡았다.

"손이 원래 이렇게 차요?"

그 말은 그날 밤 그의 품에 안겨있을 때까지도 내내 그녀의 가슴속을 맴돌았다.

11.

"정말이야?"

영민은 믿을 수 없다는 듯이 두 눈을 껌벅였다.

"응. 그렇게 됐어"

"...잘 됐네. 현수, 좋은 놈이야."

하고 영민은 자기 앞에 놓인 물을 벌컥벌컥 들이마셨
다.

그런 영민을 보며 가연은 괜한 말을 했나 싶었지만
근래 들어 영민의 모호한 태도에 쐐기를 박을 필요를
느꼈다. 현수와 가깝게 지낸다는 이야기를 들으면 영민
도 마음 정리를 하리라 생각했다... 그런데 막상 그 얘
기를 들은 영민은 저리도 당황해한다. 괜한 말을 한 걸
까..

영민에게 상처를 줬다는 생각에 가연은 마음이 어수
선하다. 하지만 언제까지 질질 끌 수 있는 인연도 아니
었다. 그의 아내를 봐서라도.

이렇게 가연은 현수를 방패막이로 내민 게 조금은 미
안했지만 그를 사랑하는 건 사실이기에 그 정도에서 갈

무리 하기로 하였다.

"그럼 결혼 얘기도?"

영민은 입이 또 마르는지 이미 비어버린 물컵을 입에 가져간다. 가연은 자신의 물을 내밀었다.

"아냐 아직은. 그냥 ,"

"알아가는 단계?" 하고 영민은 훗, 하고 웃었다. "니들 연예인이냐?" 라며 그가 시큰둥해하였다. 아무튼 이렇게 현수와 가깝게 지낸다는 걸 안 이상 영민도 더 이상의 오버는 하지 않으리라 생각하니 한편 마음이 가벼워졌다.

"이젠 자주 연락하면 안 되겠네?"

"영민씨..우리 그냥 친구잖아...그러니, 선은 지키자 서로"

"누가 뭐래...."

영민과 까페를 나온 뒤, 영민이 집까지 바래다준다는 걸 한사코 거절하고 가연은 좀 걷기로 했다. 그 무덥던 여름도 다 가고 이젠 제법 쌀쌀하다. 영영 올거 같지 않던 가을이 다가옴을 느끼면서 그녀는 한참을 걷다가 길모퉁이 서점으로 들어갔다.

요즘 오프라인 서점을 들어갈 일이 없어 그야말로 몇 년만이었다. 거기서 유심히 책들을 고르다 몇권 집어들었다. 예전 자신이 꽤나 인상적으로 읽었던 터키 작가 h의 책과 그 외 몇 권을...현수도 좋아하리라 생각하면서.

며칠후 , 현수를 만난 가연은 사 온 책을 내밀었고 현수는 예상대로 좋아라했다.

"우리 휴일에 강원도 갈래요? 바다도 보고 회도 먹고 "

"강원도.."

영민과 살 때 두어 번 충동적으로 새벽에 길을 잡은 기억이 난다. 갑자기 바다가, 파도가 보고 싶어 훌쩍 떠났다.

"가요 꼭"

그러자 현수가 그녀의 손을 살며시 잡아 온다. 분명 낯이 익은데....

"갑시다 우리. 가서 하루 자고 오든가"

잡힌 손을 현수에게 맡긴 채 가연은 미소를 지었다.

이제 더는 현수와 자신 사이에 영민의 그림자 따위는 없었다. 이 사람과 살자,라는 생각이 가연의 마음을 뒤흔들었다. 이 사람 닮은 딸을 낳고 싶다는 생각에 그녀는 가슴이 설렜다.

　가연은 비록 1박으로 다녀오는 여행이어도 이것저것 준비에 들어갔다. 펜션을 예약하고 먹거리를 준비하고 둘의 잠옷, 세면도구...그러고 보니 가져갈 게 많았다. 이럴 때 자신이 운전이라도 한다면 번갈아 할텐데,라는 마음에 그녀는 조금은 현수에게 미안했다.
　그렇게 둘은 주말 일찍 만나 동해로 길을 잡았다. 현수의 운전은 능숙했다. 특히 차선 바꾸기를 할 때 잘 드러났고 한손으로 가연의 손을 잡아올땐 짜릿하기까지 하였다.
　"영민 선배는 어떻게 지내나?"
　문득 그가 꺼낸 말에 가연은 잠시 아득해지는 느낌을 받았다. 그러고 보니 영민에게 현수의 이야기를 해준 다음부터 그의 소식을 들을 수가 없었다. 2,3일 텀으로 걸려오던 전화며 메시지도 뚝 끊겨졌다. 그도 마음을 잡은 걸까...

"글쎄...잘 지내겠죠"

"말 놓죠 우리"

그 말에 가연은 그에게 잡힌 손을 물끄러미 쳐다보았다. 그러자 그가 잡은 손에 힘을 꽉 주더니 가연의 손을 놓아주고 그 손을 다시 핸들로 가져갔다.

"언제 커플로 한번 보자고 해봐요. 아, 내가 전화할게요"

"누구? 영민씨?"

"응..."

그게 될까...가연은 두쌍의 만남을 상상해본다. 아직도 영민이 자신에게 미련을 갖고 있는 상황에서 그건 아니라는 생각이 들었다. 하지만 그 속내를 굳이 현수에게 말하고 싶지는 않았다.

그러고 있는데 저만치 물이 보였다. 바다였다. 일렁이는 파도가 선명하게 둘의 시야에 들어왔다. 가연은 창문을 내리고 바다 내음을 흡입했다 .

그녀의 말에 현수도 가연 쪽 바다를 보며 낮게 뭐라고 중얼거렸다. 그의 말을 알아듣지는 못했지만 그 어떤 말이었어도 그가 지금 행복하다는 것만큼은 분명했다. 이번엔 가연이 현수의 운전하는 손을 가만히 잡았다 놓았다.

"결혼합시다"

조금전 중얼거린 그 말이 어쩌면 이거였을지 모른다는 생각에 가연은 가슴이 마구 뛰기 시작했다. 하기사, 자기도 그의 딸을 낳고 싶었으니, 둘은 같은 생각을 해온 셈이다...

"할거죠 결혼? 나랑?"

"...."

"뭐야 이 침묵은"

"뭐야, 정식으로 프러포즈해야지"라며 그녀가 샐쭉해하자 그가 허허, 하고 웃었다. 그런 그가 좋았다. 결혼이란 걸 한다면 장현수와 하고 싶다는 생각이 강하게 그녀를 덮쳐왔다.

12.

"예전에 여기 저수지가 있었다고 해"

현수가 지금은 물 없는 웅덩이 앞에 차를 세우며 불쑥 말을 꺼냈다.

이곳도 낯설지가 않다는 생각에 가연은 잠시 아득해졌다. 뭘까, 이 기시감은...

차에서 내려 웅덩이 주위를 걷는데 현수가 미간을 찌푸리며 골똘히 생각에 잠기는 눈치였다. 아마...하며 그가 어렵게 말을 꺼낸다

여기서 형하고 스케이트를 탔던 거 같아,라는 그 말에 가연은 온몸에 소름이 돋았다. 왜 이럴까...그녀 자신도 알 수가 없었다. 형하고 스케이트를 탔다는 현수의 얼굴이 그 어느 때보다도 낯설게만 느껴졌다..

"겨울이면 여기가 얼었을 거야 아마...맞아, 여기였어"라며 현수가 물끄러미 웅덩이를 쳐다보았다.

"왜 물을 뺐지?"

그가 의아해 하며 힐끔 가연을 쳐다보았다. 가연도

같은 생각을 하던 터라 살짝 놀랐다.

"틀림없어? 여기서 스케이트 탔어?"

"응..."

"그럼 형...형님은"

그 말에 현수가 고개를 살며시 저었다.

"죽었어 어릴 때"

그 말에 가연은 적잖이 충격을 받는다. 해서 차마 왜, 라고 묻지를 못했다.

"부모님 뵙고 갈래 온 김에?"

"아직은..."

"그런가? 좀 이른가? 그럼 다음에..."

"여기 계셔?"

"응. 연로하시지. 그래, 나중에 다시 와서 인사드리자"

그날 밤 둘은 바닷가 펜션을 잡았다. 마치 신혼부부처럼 함께 요리를 하고 식탁에 마주 앉아 도란도란 이야기를 나누며 늦은 저녁을 먹었다.

"우리, 이렇게 쭉 같이 살자"

현수는 둘의 결혼에 쐐기를 박듯 말했다.

"뭐야, 정식으로 하라니까"

"촌스럽긴..."

갑자기 무뚜뚝하게 돌변하는 현수가 가연은 귀엽기까지 하였다. 이렇게 이 사람과 결혼이란 걸 하게 되는구나 하자 그녀는 조금은 떨려왔다. 한없이 자상한 듯 하다가도 무뚜뚝하게 변해버리는 이 사람과....

"애는 딸이었음 좋겠어"

이번엔 그가 일부러 눈을 맞추지 않고 말을 했다.

"누가 결혼해준대?"

그러자 그가 두 눈을 부릅뜨는 시늉을 해보였다.

식탁을 가로질러 가연이 현수의 손을 잡았다.

"사랑해"

"뭐야 여자가 자존심도 없이"

"치..."

둘이 식사를 끝내고 침대로 가려는데 요란하게 벨소리가 들려왔다.

"무음으로 안했어?"

"그럼 내 건가?"하고 가연이 가방 안에서 자신의 폰을 꺼냈다. 영민의 전화였다. 왜 하필 지금...그녀가 난처해하자 현수가 궁금해하는 눈치를 보였다. 이 전화를 받아야 하나 마나 고민하다 그녀는 수신거절을 하고 무음으로 돌려놨다.

"뭐야 ? 누구 전환데?"

"스펨"

"응..."하며 현수가 그녀의 어깨를 살포시 안았다. 창밖으로 보이는 달빛이 유난히 밝은 그 밤, 금방이라도 파도가 펜션을 집어삼킬 기세로 몰려오는 모습이 둘의 눈에 들어왔다.

"우리 나가서 좀 걸을까?"

그의 품에 안겨 가연이 속삭였지만 그는 그대로 그녀를 안아 침대에 눕혔다.

13.

"당신이 행복하면 됐지 뭐."

영민은 쓴웃음을 지으며 마지못해 말했다.

"결혼,할 거 같아. 현수씨랑"

그 말엔 의외로 담담한 반응을 보이는 영민의 속내를 가연은 알 수가 없었다.

"와이프는 잘 지내고?"

"그렇지 뭐...가끔..."

"응?"

"가끔, 우리 사이에 애가 있었더라면 하는 생각 할 때가 있어"

그 말에 가연은 몹시도 불편한 심정이 되었다.

"지금 와서 무슨...당신 지금 행복하고"

"그렇단 얘기지 뭐.."

"잘 살아. 나도 그럴게"

"좋아 보인다 진짜"

"응"

그녀는 고개를 주억거렸다.

다음 달 초, 양가의 상견례가 잡혔다는 얘기까지는 영민에게 하지 않았다. 영민에게 그건 너무 가혹하다는 생각이 들었다.

"어쩜....결혼하고 밖에 나갈지도 몰라."

"마침 로테이션으로 해외 근무가 잡혔대"

"좋은데네...너도 가서 학위과정 밟으면 좋을 거 같아. 그렇게 해서 강단에 서면"

"아냐 난....그냥 뒷바라지 하는 거지"

그 말에 영민이 가연을 빤히 쳐다본다. 한때 자기 여자였던 여자가 이제 다른 남자의 여자가 된다는 기분을 온몸으로 느끼는 모양새였다.

"너, 예전에 미술사 하고 싶다고 했잖아"

"다 옛날 얘기...인젠 책보는 거 싫어. 그쪽에 재능도 없고"

"얘기가...많이 진전 됐네..."하며 영민이 한번 더 쓰디쓴 웃음을 지어 보였다. 그때 가연의 한 손에 들린 폰이 진동을 했다.

"잠깐만"하고 액정을 본 가연이 살짝 난처해하는 표정을 짓는다.

"누구, 현수? 받아. 어때 "

"미안..."

하고 가연은 현수의 전화를 받아 지금 영민과 함께 있다는 이야기를 하였다.

가연이 현수와 통화를 하는 동안 영민은 묵묵히 디저트 케익을 잘라 먹는다. 아무렇지 않다는 듯, 전혀 상처받지 않았다는 듯....

"불편할 수 있잖아"라고 나직이 현수에게 속삭이는 가연에게 영민이 말한다.

"오라고 해 여기로. 나도 현수 본 지 한참 됐고. 감사 인사는 해야지"

'감사'라는 단어가 좀 뜨악하긴 했지만 가연은 괘념치 않기로 하고 현수에게 이쪽으로 오라고 말했다. 그리고 전화는 끊어졌다.

14.

현수와 영민이 대면하던 순간의 그 어색함은 이루 말할 수 없었다.

"선배"하고 반갑게 영민을 부둥켜안으려는 현수를 영민은 피해버렸기 때문이다. 그러자 무안해진 현수는 대신 악수를 청했고 영민은 마지못해 그 손을 쥐었다.

순간 잠시 현수와 가연의 눈이 마주쳤고 가연은 그 눈을 피했다. 영민의 속내를 다 알아버린 이상 그와 친구로, 우정을 빌미로 관계를 이어나가긴 다 글렀다는 생각이 그녀를 스쳤다.

그날 셋은 인근 레스토랑에 가서 정식을 각각 시켜 먹었지만 누구 하나 음식맛을 음미하거나 만족해할 겨를이 없었다.

끅, 트림과 함께 영민이 불퉁하게 물었다

"둘이 언제 결혼해?"

그 말에 현수가 슬며시 가연의 손을 끌어다 그 위에 자기 손을 포갰다. 그 과정을 예리하게 쳐다보는 영민의 시선이 날선 칼날 같기만 해서 가연은 몸둘 바를 몰라 했다.

"조만간...선배 , 올거죠?"

현수가 씨익 웃으며 가연의 손을 움켜쥐었다.

"상견례도 했겠네?"

영민이 물잔을 들며 못마땅하다는 듯이 말했다.

"해야죠 곧. 이미 말씀은 드렸어요"라는 현수의 말에 가연은 정말? 하는 표정을 지어 보였다.

"두 사람 잘 어울리네"하며 영민이 목마른 듯 물을 빠르게 들이켰다.

"근데...사정 모르는 사람들이 두 사람 어떻게 만났냐고 하면 대답할 수 있겠어?"

하필 그런 질문을 하는 영민의 속을 가연은 간파하고는 몹시 기분이 상했지만 애써 내색하지 않으려 하였다.

"뭐, 소개받았다고 하면 되죠 뭐"

이번엔 현수가 물을 들이키며 말했다.

선배의 전처, 그녀와의 사랑, 그리고 결혼,이라는 말 많은 결혼이 되겠다는 생각을 현수 역시 안 하고 있는 건 아니라는 증거였고 그래서 가연은 위축돼서 그에게 잡힌 손을 슬며시 빼려 했다. 그러자 영민 보란 듯이 현수가 가연의 빠져나가는 손을 움켜쥐었고 그 손등에 입을 맞추었다. 애정표현에 인색하지 않은 현수긴 하지만 이렇게 , 그것도 3자가 보는 앞에서 자신의 마음을 드러낸 건 처음이고, 보란 듯히 하는 행동에 가연은 적잖이 기분이 상해 레스토랑을 뛰쳐나왔다. 뒤에 남은 남자들이 어떤 대화를 나눌지, 자기를 두고 어떤 말을 할지 따위는 상관없었다.

그렇게 자신의 원룸으로 길을 잡는데 뒤에서 다가오는 기척이 느껴졌다. 당연히 현수였다. 가연이 뒤돌아보자 현수가 와락 그녀를 안으며 "너, 내 여자 맞지?"라며 애먼 소리를 해댔다.

"여기 길거리야. 놔줘"라고 그녀가 애원해도 이미 욕정이 끓어오른 수컷의 힘을 이기진 못했고 현수는 그녀를 끌고 옆의 모텔로 향했다.

"집에 가자...가서 하자"라고 그녀가 끌려가면서 애원했지만 현수는 완강했고 결국 그녀는 모텔 허름한 방 침대에 눕혀졌다.

"이러지 마....이건 아니잖아"하는 그녀의 입을 현수의 입이 막아버렸고 그녀는 숨조차 제대로 쉴 수가 없었다. 가연은 있는 힘을 다해 현수를 밀쳐내고 모텔방을 뛰쳐나와 그대로 자신의 집으로 향했다.

그리고는 잠시 후 가연의 원룸 초인종이 연이어 울리고 나중엔 손으로 문을 탕탕 두드리는 소리가 계속됐지만 그녀는 현수에게 문을 열어주지 않았다. '끝'이라는 단어가 그녀의 뇌리를 어지럽혔다. 결국, 이렇게 되고 말 사이였어...라는 생각에 그녀는 요란한 바깥 상황을 무시하고는 수면제를 털어놓고 잠자리에 들었다.

그녀가 잠에서 깨어나 문을 열어보자 밤새 문 옆 벽에 기댄채 잠든 현수가 눈에 들어왔다. 일단 잠이라도 제대로 재우자는 마음에 자는 그를 가만 흔들자 그가 화들짝 놀라 눈을 떴다.

"왜 여기서 이러고 있어?"

"미안...내가 잘못했어...잘못하면 널 영민 선배한테 뺏길 거 같아서"

"가 그만... 나중에 얘기하자"

"가연아"

"가 그만..."하고 그녀는 다시 방으로 들어와 문을 걸어잠궜다.

"우리 계속 가는 거지?"

밖에서 들려오는 현수의 말을 듣지 않으려고 그녀는 라디오를 틀었는데 하필이면 하우저 버전의 〈가브리엘의 오보에〉가 흘러나왔다.

현수의 옛 여자가 좋아했다던 그 음악...

그제서야 현수의 마음을 자신도 이해할 수 있을 거 같아서 그녀는 서둘러 다시 현관문을 열었지만 복도는 텅 비어있었다.

15.

"우리 시간을 좀 가졌으면 해"라는 가연의 말에 현수
는 이미 예상한 사람처럼 풀이 죽어버렸다.

"가연아, 내가 잘못했어. "

"그런 얘기 아니고...우린 본질적으로 안되는, 그런
사이 같아"라고 그녀가 대답하고 까페에서 일어나려 하
자 현수가 그녀의 앞을 가로막고 섰다.

"아직 내게서 마음이 떠나지 않았다면, 그래, 기다려
줄게....하지만 단 며칠이야. 그리고 우리, 부모님 뵙자.
그리고 너희 아버님도"

"생각좀 해보고...연락할게"하고 그녀는 그로부터 벗
어나 까페를 나왔다.

하지만 예상과는 달리 현수는 일주일이 돼 가도록
연락이 없었고 가연은 그도 이젠 지쳤다는 생각에 허탈
해졌다. 안되는 거였어 처음부터....그러는데, 초인종이
울렸다. 혹시나 현수가 아닐까 봐 그녀는 초조했고 불
안했다. 그리고는 마침내 현관을 열었을 때 초췌한 모

습의 현수가 힘없이 벽에 기대 서 있었다.

"들어와"

"분명히 해줘. 나지? 그 놈 아니고 나지?"라는 현수의 말이 채 끝나기도 전에 가연은 그를 와락 안았다. 그러자 현수도 두팔로 그녀를 휘감았다.

"다음 주에 상견례 하자"라는 그의 말에 "응, 그렇게 하자"라며 가연은 울먹였다.

가연은 오랜만에 부친을 찾고는 엉엉 울고 말았다 . 그 나이에도 막 일을 하니 몸이 망가진다는 것쯤은 모르는 바 아니었지만, 부친은 아예 자리보전을 하고서는 일어나지도 못했다. 얼마 전 공사현장에서 낙마해서 허리를 크게 다친 사실을 딸인 가연에게는 알리지 않았던 것이다.

그런 부친을 보자 가연은 현수고 결혼이고 다 때려치우고 부친을 보살피며 살고 싶다는 생각이 들었다.

그 일로 상견례는 미루어졌고 현수네 집에서는 며느리 자리가 집안이 안 좋다며 툴툴대기 시작했다. 그렇게 둘의 결혼으로 가는 길은 잠시 험란해졌지만 현수는 한번 먹은 마음을 바꾸지 않으려는 듯 예비장인을 대학

병원에 입원시키고 거의 매일 퇴근 때마다 들여다보고 일체의 치료비까지 대주었다. 가연은 자신이 할 일을 아직 약혼조차 하지 않은 현수가 한다는 것에 자존감이 바닥을 쳤지만 그런 가연의 마음을 읽은 현수는 "우린 부부야 이미"라며 애써 그녀를 다독였다.

"고맙네 장서방"

언제부턴가 가연의 부친은 현수를 '장서방'이라 불렀고 그렇게 둘 사이는 정말 장인 사위 사이가 되어갔다.

여자 아버지의 병원비까지 대고 있다는 사실을 현수의 본가에서 알고는 당장 관계를 끊으라고 압력을 가했지만 그럴수록 현수의 가연에 대한 마음과 욕망은 뜨겁게 끓어오르기만 하였다.

그리고는 가연의 부친이 퇴원하던 날, 그는 녹음을 일찍 끝내고 병원으로 향했다.

"장현수, 그놈, 사위로 괜찮아"라는 부친의 말에 가연은 뚝뚝 눈물만 흘렸다.

"근데, 너 자신 있니? 그 집에서 반대가 심할텐데"

"우리 결혼하면 미국 갈 거야 아빠...그리고 내가 잘하면 돼"라며 그녀는 젖은 눈을 손으로 꾹꾹 누르며 대답했다.

"어디서 그런 녀석을 만났어? 소개받았어?"

가연은 부친의 이 질문엔 침묵하기로 하였다.

"그게 그렇게 말하기 힘들었어? 안 그래도 나도 생각 중이었어"

현수가 디저트가 세팅되자 말을 했다.

연로한 몸으로 공사장 일을 하는 부친이 너무 안돼서 결혼 후 가연은 자신의 수입은 부친에게 쓰고 싶다고 하자 현수도 흔쾌히 응했다...

그리고는 며칠 후, 가연의 부친은 현수가 봐둔 소형 아파트 월세로 들어갔고 보증금이며 2년치 월세는 이미 현수가 다 처리한 뒤였다. 이젠 '고맙다'는 말조차 나오지 않아 가연은 그저 눈물만 줄창 흘렸고 그런 가연을 현수는 안아주며 등을 쓸어주었다. "이젠 내 아버지기도 하셔"라는 말에 그녀는 자신이 '세상에 없는 사랑'을 받고 있다고 생각했다. 그리고 이 순간이 영원할 것이라는 예감에 사로잡혔다.

16.

그러나 한 달 후, 가연 부친의 거동이 자유로워지자 다시 잡힌 상견례 날, 가연과 현수는 왜 둘 다 서로에게 '기시감'을 느꼈는지를 알게 되었다.

수십년의 세월이 흘렀음에도 악연의 얼굴은 잊히질 않는지 현수의 부모, 그리고 가연의 부친은 서로를 단박에 알아보고는 경악하였다.

심상치 않은 기류에 현수와 가연이 불안해하자

"니 형 죽인 웬수 집안이야!"라는 말이 현수 모에게서 흘러나왔다.

"형? 형을 죽인?"

그 순간 현수와 가연의 눈이 허공에서 부딪쳤다.

어린 날 가연은 강원도 얼어붙은 그 저수지에서 혼자 스케이트를 타고 있었다...방학을 맞아 외가에 온 어린 가연은 하루 종일 얼굴이 까맣게 탈 정도로 얼음을 지쳐도 질리지가 않았다. 어린 가연은 그냥 얼음이 좋았고 얼음을 지칠 때의 희열은 그 어느 것과도 맞바꿀 수가 없었다. 어쩌다 tv에서 스케이트 프로그램이라도 방영을 하면 아예 화면을 뚫고 들어갈 정도로 그에 몰두했다. 그녀는 운명처럼 얼음에, 스케이트에 끌려들어 갔다.

그날도 가연은 점심을 먹자마자 저수지로 나왔고 물은 꽁꽁 얼어있었다. 그녀는 자신의 배낭에서 조그만 스케이트를 꺼내 갈아신고 조심스레 첫발을 내디뎠다

그해 겨울은 기온의 기복이 심해 저수지 관리인은 하루에도 몇 번씩 얼음을 지치는 아이들을 내치곤 하였다.

하지만 그날따라 관리인이 자리를 비웠고 가연은 잠깐만 스케이트를 타려는 생각에 얼음 위를 미끄러져나갔다. 그리고는 바로 전날 tv에서 본 c의 점프 동작을 따라 해보았다. 물론 첫 시도에서는 꽝, 하고 엉덩방아를 찧었지만 그 다음부터는 얼추 비슷하게 해냈고 자신은 기필코 피겨 선수가 되고야 말겠노라 굳게 다짐하였다. 그러다 보니 해가 저물기 시작했고 마지막이라는 생각에 한번 더 점프하고 착지하는 순간 발밑의 얼음이

우지끈 갈라지고 그대로 가연은 물에 빠져버렸다. 아직 수영을 배우지 못한 어린 가영은 물에 잠겨 살려달라는 소리도 제대로 내지 못하고 허우적대다 실신했고 급기야 물속으로 가라앉고 있었다.

그 순간, 누군가의 손이 가연의 허리를 안았고 그렇게 그녀는 실신한 채 물 위로 건져졌지만, 가연을 살린 그 손의 주인공, 즉, 현수의 형인 현철은 다리에 쥐가 나서 결국 물에서 헤어나오지 못했다. 지나가던 동네 남자 하나가 물속으로 가라앉는 현철을 구하러 뛰어들었지만 아이는 이미 심장마비를 일으켜 숨을 거둔 뒤였다.

그리고는 살아남은 어린 가연과 현수는 장례 때 서로 얼굴을 마주했고 그로써 영원한 '기시감'을 갖게 된 것이다.

"아니야...그럴 리가 없어. 가연이 땜에 형이...아냐..."하고 현수가 고개를 내저었지만 현수의 부모는 차디찬 눈길을 가연 부녀에게 쏟아붓고 그 자리를 떠나고 말았다. 휑하니 남겨진 그들의 빈자리를 우두커니 바라

보던 가연의 부친도 "이건 안 되는 일이다... 우리가 지은 죄가 너무 크다"라며 가연의 손을 끌었다. 아빠.... 애원하는 가연은 그렇게 부친에게 이끌려 룸을 나갔고 혼자 덩그러니 남겨진 현수는 아직도 상황 파악이 안 된다는 듯이 그 자리에 얼어붙어 아무 말도 하질 못하고 온몸은 점점 굳어만 갔다. 어릴 때 죽은 형이 가연이 때문이라는 걸 그는 받아들일 마음도, 그럴 용기도 없었다. 그럴 리가 없어...절대 그럴 리가...하다 그는 정신을 잃었고 눈을 떴을 땐 병원 응급실 천장이 보였다.

"안된다 절대"

일반 병동으로 옮겨진 뒤 현수의 모친이 내뱉은 첫마디가 이랬다.

"걔, 니 형 죽인 애야. 안돼"하며 이번엔 부친이 아내를 거들었다.

"혼자...혼자좀 있을게요"라고 현수가 애원하자 부모는 병실을 나갔고 현수는 꺽꺽 소리내서 울었다. 가연이 미치도록 보고 싶고 그리웠다. 그녀를 한 번만 더 품에 안으면 여한이 없을 거라는 생각이 그를 너무나도 괴롭혔다.

17.

가연은 일에라도 몰두해야 미치지 않을 거라는 생각
에 미친 듯이 원고를 써댔다. 어쩌다 틈이라도 나면 먹
어대기 시작했다. 그렇게라도 , 자꾸만 떠오르는, 점점
더 선명해지는 어린 날의 기억으로부터 도망치고 싶었
다. 그리고는 잠자리에 들기 전, 입안에 손가락을 쑤셔
넣어 먹은 걸 다 토해내기를 반복했다.

현수로부터는 아무 연락이 없다...아니, 기대해서도
안된다,고 생각하면서도 그게 뜻대로 되지 않아 한참
폰을 쳐다보다 포기하고 잠에 빠지는 날이 하루하루 늘
어갔다...어떤날은 충동적으로 그에게 전화를 걸려다 멈
칫하기도 하였다. 해서, 그녀는 아예 자기 폰에서 그의
번호를 삭제했지만 그 번호는 그런다고 지워지는게 아
니었다. 그녀는 옆방에서 들리지 않도록 이불을 뒤집어
쓰고 통곡을 하고 뒹굴어도 보고 술에 취해보기도 하였
지만 시커멓고 날카로운 운명의 발톱을 피할 순 없었
다. 그리고는 사납게 비가 퍼붓던 날, 손목을 그었다...

가브리엘의 오보에

"아빠 , 왜 날 살렸어"

병실에서 눈을 뜬 가연이 초췌하게 자신을 바라보고 있는 부친에게 내뱉은 말이었다.

"죽으려면 내가 죽어야지 , 왜 니가, 살아갈 날이 많은 니가 왜"라며 부친도 울먹였다.

그러고 있는데 병실 문이 스르륵 열리며 현수가 들어섰다. 가연은 그 순간이 너무도 비현실적으로 느껴져 손으로 눈을 비비기까지 하였다.

"내가 불렀다. 한번은 봐야 할 거 같아서"라며 부친은 자리를 피해주었고 그렇게 병실엔 가연과 현수만 덩그러니 남았다.

"왜 그런 바보 같은 짓을 했어?"

현수가 힘겹게 입을 열었고 가연은 차마 그를 볼 수가 없어 고개를 돌렸다. 그러자 현수가 그녀의 고개를 다시 돌려 자신을 보게 하였다. 사랑해...

가연은 자신의 귀를 의심했다. 지금, 현수의 입에서 자신을 사랑한다고 한 말이 진실일까, 그게 궁금했다. 이건 꿈일 거야....꿈이 아니고서야 어떻게 자기 형을 죽인 자신을....하는데, 현수가 그녀의 링거꽂은 파리한 손을 양손으로 움켜쥐었다.

"밥 잘 먹고 씩씩하게, 알았지?"라는 그의 말에 가연은 이것이 마지막 인사임을 알아차리고는 눈물이 그렁해졌다.

"당신도 잘 살아"

"시간이...시간이 해결해 줄거야."하고 그는 한참을 그녀에게 엎드려 울었다. 그런 그의 머리카락을 가연은 조심스레 쓰다듬었고 드디어 그가 가려고 몸을 일으켰다. 가연이 그의 옷자락을 붙잡았다.

"이러면 우리가 힘들어져"라며 현수가 말했지만 가연은 지금 그를 놓는다면 영원히 다신 못 볼 거라는 생각에 한참을 그러고 있었다.

"좋은 사람 만나"

가연이 그를 놔주며 말하자 이번엔 현수가 그녀의 머리를 안으며 흐느꼈다..

"너도...너도 잘살아야 해"

그리고는 힘겹게 둘은 서로를 놓고 이별했다

18.

현수가 첼리스트 w와 결혼한다는 기사를 읽은 건 그로부터 석 달 후였다. 첼리스트....〈가브리엘의 오보에〉가 퍼뜩 가연을 스치고 갔다.

결국 현수는 옛 여자에게 돌아간 셈이었다 그렇게. 그녀가 그리도 좋아했다는 그 곡을 영원히 듣기 위해 첼로하는 여자를 선택했으리라...가연이라는 생의 악재를 그는 그렇게 피해 갔고, 결혼 후 곧바로 둘은 미국행에 올랐다는 기사를 접하고는 이제는 정말 그를 놔줘야 한다는 생각이 들었다.

그리고는 며칠 후, 가연의 부친은 정말 '자는 듯이'죽었다. 하지만 가연은 어두운 방에서 홀로 숨을 거두었을 부친의 마지막 순간을 곱씹으며 영원히 씻을 수 없는 죄를 지었다는 느낌을 지울 수가 없었다. 어린 날 이미 한 사람을 죽게 하고 이제는 부친마저 그리 가게 했다고 자신을 탓하며 시간을 흘려보냈다. 손목을 그은 뒤 그녀는 방송에서도 해고되었고 한 달 일한 보습학원 일도 아이들의 반응이 별로라며 결국 잘리고 말았다.

현수와의 결별, 그의 결혼과 출국, 그리고 부친의 갑작스런 죽음은 그녀로 하여금 노동의 의지마저 뺏아갔다.

이젠 정말 생을 끝내야 한다고 생각해 그녀는 원룸 옥상에 여러번 올라갔지만 막상 아래를 내려다보면 뛰어내릴 용기가 없어 주저앉고를 되풀이 하였다. 그런가 하약국들을 돌며 수면제를 사 모으기도 했지만 막상 입에 털어 넣으면 곧바로 토해내기를 반복해 결국 죽음에 실패하고 말았다.

죽는 것까지 마음대로 되지 않는다는 절망감에 문을 걸어 잠그고 불도 켜지 않은채 보름 가까이 지내던 어느 날 초인종이 울렸다. 이틀째 물도 마시지 않은 그녀의 귀에 그 소리는 이명처럼 들려왔다. 올 사람이 없는데...하다 혹시 미국 간 현수가 돌아왔을지 모른다는 생각에 문을 열었지만 문 밖에 서 있는 상대는 현수가 아닌 영민이었다.

"잘 지내나 하고"

영민은 몹시도 걱정하는 얼굴로 그렇게 물어왔다. 영민은 어떻게 알았는지 근래 가연에게 일어난 일련의 일들을 훤히 꿰고 있었다. 상대가 현수가 아닌 영민이어

서 가연은 적잖이 실망했고 그런 그녀의 마음을 영민은
고스란히 읽었다.

" 오지 마 이젠"

" 아버님 장례땐 내가 왔어야 하는데"

" 왜..왜 당신이 거길 와!"하고 그녀는 냅다 소리를
질렀다.

"나한테 그러지 마.."하고 영민이 다시 애원하는 눈빛
을 보냈고 그녀는 그 눈빛에 가슴이 먹먹해짐을 느꼈
다.

"나좀 자고 싶어"라며 그녀가 침대에 누우려 하자 영
민이 부축해주었다.

그녀는 벽을 보고 모로 웅크리고 누웠다.

"그렇게 하면 좀 나아지니?"

"응....이 자세가 난 좋아. 이러고 있으면 힘들고 아픈
게 좀 가라앉는 거 같아"

가연이 잠에서 깼을땐 영민이 켜놓고 간 옆의 미니
램프 불빛이 그녀의 시야를 어지럽혔고 그 옆엔 역시
영민이 사다 놓은 죽이 포장돼있었다. 그리고 메모...
'잘 먹어야 돼. 그럼 힘이 나고 모든 걸 잊을 수 있

어'...

가연이 겨우겨우 그 죽을 반쯤 먹었을 때 문자 알림이 울렸다. 영민이었다.

"살다 보면 다 잊는다. 가끔 들러도 되지?"

그 문자를 한참 들여다보다 가연은 '삭제' 버튼을 눌렀다. 더는, 더 이상은 세상 누구와도 , 지상의 그 어떤 것과도 연결되고 싶지 않고 , 그래서도 안 된다고 생각하였다.

19.

"그렇게 됐다..."
"왜 헤어졌어...애는 어떡하구?"
"집사람, 아니 전처가 키우기로 했어"
"바보..."

가연이 지방방송국에 일을 잡은 지 한달 쯤 지난 뒤 영민은 자신의 재 이혼소식을 전해 왔다.. 그 사태에 자신이 원인이었을지 모른다는 생각에 가연은 약간의 죄의식이 느껴졌지만 그 정도에서 감정을 갈무리하였다.

지방방송일은 대학 선배 c 의 도움으로 얻은 것이었고 일주일에 한번 참관하는 것으로 결론 내려 매일 내려갈 필요는 없었다. 매일 오라고 했어도 안 할 상황도 아니고 그녀는 단번에 하겠다고 했다. 어쨌든 살아야 했으므로.... 그래서 매주 수요일이면 고속버스에 올랐다.

"근데 당신 좋아보인다"

영민이 싱긋 웃으며 말했다.

"그 표현...당신이라는 거 솔직히 마음에 걸려"

"그런가?"

영민은 머쓱해 하면서 남은 커피를 홀짝였다.

"내가, 차 한 대 해 주면 안 될까?"

그 제안에 가연은 반사적으로 고개를 저었다

"그렇겠지. 난 이제 짐만 될테니까"

"그런거 아니고...각자 살자. 우리 얽히지 말고 더는. 그리고 애 엄마랑 가능하면 재결합하고"

그러자 이번엔 영민이 고개를 저었다. 돌이킬 수 없다는 뜻으로 와닿아 가연은 가슴이 저릿했지만 자신이 관여할 일도 아니고 해서 그 얘기는 그쯤에서 접기로 하였다.

"그럼, 차 사는 건 도와줘도 되지?"

"...그럼, 그건 도와줄래?"

그러자 시무룩했던 영민의 얼굴이 환하게 밝아졌다.

그렇게 해서 며칠후 가연은 영민이 골라준 중고차를 구입했고 곧바로 운전학원에 등록해 도로연수에 들어갔다. 강사는 거칠긴 했어도 능숙하게 지도를 해주었고 일주일의 연수가 끝나고 가연은 조금은 두려운 마음으로 차를 끌고 대형 마트로 향했다. 가는 동안도 내내 조마조마했지만 어쩌다 보니 이미 마트 주차장에 파킹시키고 있는 자신을 발견하고는 안도의 숨을 내쉬었다.

그날 잔뜩 장을 봐온 가연은 오랜만에 삼겹살을 구우며 행복감을 맛보았다. 그리고 보니 영민, 현수 누구와도 삼겹살을 함께 먹어보지 않았다는 게 떠올라 피식 웃기도 하면서 기름이 튈까 조심조심 구웠다.

고기가 맞춤하니 익었을 때 그녀는 옆에서 끓고 있는 된장찌개를 곁들여 '거나한 밥상'을 차려 먹기 시작했다. 얼마만의 만찬인가 하며 손을 꼽아보면서 가연은 아이처럼 즐거워했다. 입안 가득 상추쌈을 욱여넣고 오물거리며 폰을 보던 그녀의 입이 한순간 멈추고 말았다.

현수의 기사가 떠 있었다. 현수와 그녀 첼리스트의 파경, 그리고 현수의 나 홀로 귀국...

'장현수 pd'라는 글귀에 그녀는 음식이 목에 걸려 켁켁거리다 겨우 손으로 빼냈다. 그리고는 물을 좀 마시고 '파경'이라는 타이틀을 되풀이 읽다 자기도 모르게 옆의 폰을 집어들었지만 현수의 번호를 누르려다 다시 내려놓았다. 영민이나 현수나 이제 자신의 삶과는 무관한 사람들임을 스스로에게 인지시켜야 했다...하지만... 한 번만, 이라는 미련이 고개를 드는 것까지는 어쩔 수 없었다. 한 번만 현수를 보고 싶다는 그 마음까지는 자신도 어쩔 수가 없었다.

하지만 현수로부터는 계절이 바뀌도록 전화 한 통 없었다. 혹시나 하고 문자창을 열어봐도 그에게서는 아무 연락도 없었다. 잊었나보다....하긴 그 일을 잊지 않고는 어떻게 살 수 있을까, 하다보니 자신이 요즘 내내 현수의 연락만 기다려왔다는 게 새삼 느껴졌다. 이래선 안되겠다 싶어 그녀는 일에 집중하기로 했고 마침 사흘 치 원고를 한꺼번에 송고해야 해서 한눈팔 새도 없이 일에 몰두했다. 가까스로 원고를 송고한 뒤 그녀가 침대에 널브러지는 순간 현수의 전화가 걸려왔다.

20.

"잘됐네요 일자릴 구해서"

"기사 봤어요 , 왜"

"잘 안 맞았어요 서로. 그래서 아이 생기기 전에 헤어지자고 아내가 먼저"

"아..."

그리고는 둘의 대화는 끊어졌다. 현수는 전혀 변한게 없었다. 창백한 도시 인텔리의 실루엣은 여전했다. 변한게 있다면 이제 둘 다 서로를 '존대'한다는 것이었다.

"누구, 만나는 사람이라도?"

그가 단도직입적으로 물어 가연은 조금 당황했지만 그 이상의 의미는 부여하지도 할 수도 없다는 생각에 "네"라고 대답하였다.

그 순간 그녀는 분명 보았다. 현수의 얼굴에 그늘이 드리운 것을. 하지만 그는 애써 웃어 보이며 "그것도 잘됐고"라고 하였다.

이후의 대화는 그의 미국살이, 가연의 새 직장 정도의 그렇고 그런 이야기들로 이어지다 누가 먼저랄 것

없이 자리에서 일어났고 그렇게 까페를 나온 둘은 눈인
사를 나눈 뒤 서로 다른 방향으로 길을 잡았다. 조만간
눈이 온다고 했다. 눈을 안은 어둠속으로 둘은 그렇게
흩어졌다.

그리고 다음날 정말 눈이 내렸다. 운전하고 처음 맞
는 눈이어서 가연은 겨울 운전에 대해 검색을 하는데
영민으로부터 전화가 걸려왔다. 마치 그녀의 속을 꿰뚫
고 있다는 듯이 그가 먼저 겨울 운전의 유의사항을 알
려주었고 그걸 받아적던 가연은 잠시 어색했지만 자기
가 영민에게 어떤 마음도 없는 이상 과하게 불편해할
것도 없다고 생각했다.

조심조심 눈 내리는 고속도로를 달려 방송국으로 향
하면서 가연은 오랜만에 해방감을 맛보았다. 이별이 마
냥 슬픈 것만도 아니라는 생각이 들었다. 자유로워지는
과정, 그것이 이별일지 모른다는 생각에 그녀는 자기도
모르게 가속 페달을 밟았다. 그것은 마치 영원 속을 달
리는 느낌이었다.

에필로그

현수와 가연은 이후 어떻게 되었을까,는 독자의 몫으로 남기기로 하였다.

작가들의 글쓰기엔 일종의 패턴이라는게 있다. 그것은 곧 작가의 컬러, 작가의 가치관,작가의 미학, 그런것들일텐데 이 글을 쓴 저자의 패턴이 어떤 것인가 하는 것 역시 독자에게 넘기기로 한다.

처음 내게 라디오 일을 주었던 김모 PD 에게 새삼 고마움을 느끼고 그가 주력하는 시트콤이 또다시 전성기를 맞았으면 하는 바람이다.

세상살이의 여러 측면을 '연애와 사랑'의 틀 속에 다 응축할 수 있다는 게 어불성설 같아도 어느 정도는 가능하다는 게 저자의 생각이다. 기대와 좌절, 믿음과 배신, 절망과 재기, 이 모든 것이 이 프레임 속에 다 들어가기 때문이다.

가브리엘의 오보에

지상의 모든 사랑에 이별을 고하는 그들에게 부디 축복이 함께 하길 기원하면서 이 소설을 마무리한다. 읽어주신 모든 독자에게 무한한 감사를 전한다.

2024.6 박순영 씀

가브리엘의 오보에

gabriel's oboe

발　행 | 2024. 8.15
저　자 | 박순영
펴낸이 | 로맹
펴낸곳 | 로맹
출판사등록 | 2023.12.14
주　소 | 경기도 파주시 탄현면 하늘소로 16
이메일 | jill99@daum.net

ISBN | 979-11-93896-15-0
정가　| 12000원

www.romainpublish.modoo.at

103

가브리엘의 오보에